Les religions
expliquées à ma fille

Du même auteur

Aux Éditions du Seuil

Fous comme des sages. Scènes grecques et romaines
(avec Jean-Philippe de Tonnac)
2002 ; « Points Essais », 2006

L'Oubli de l'Inde. Une amnésie philosophique
« Points Essais », 2004

La Philosophie expliquée à ma fille
« Expliqué à », 2004

Le Culte du néant. Les philosophes et le Bouddha
1997 ; « Points Essais », 2004

L'Occident expliqué à tout le monde
« Expliqué à », 2008

Où sont les ânes au Mali ?
2008

L'Éthique expliquée à tout le monde
« Expliqué à », 2008

Aux Éditions Odile Jacob

Des idées qui viennent
(avec Dan Sperber)
1999

101 expériences de philosophie quotidienne
(Prix de l'essai France-Télévision 2001), 2001

La liberté nous aime encore
(avec Dominique Desanti et Jean-Toussaint Desanti)
2002

La Compagnie des philosophes
2002 ; « Poches Odile Jacob », 2005

(Suite en fin d'ougrage)

Roger-Pol Droit

Les religions expliquées à ma fille

Éditions du Seuil

ISBN 978-2-02-039209-9

www.editionsduseuil.fr

Comment est né ce livre

J'ai été surpris. Quand ma fille Marie a eu treize ans, je me suis rendu compte qu'elle n'avait pas reçu d'éducation religieuse. Évidemment, ce n'était pas un hasard. Nous avions pensé : « Elle choisira, elle construira ses propres convictions. » Cette position avait paru raisonnable. La famille avait plus ou moins protesté, plus ou moins laissé faire. Marie avait donc grandi sans appartenir à une religion, comme beaucoup d'enfants de sa génération.

Mais nous n'en avions pas imaginé les conséquences : j'ai été surpris par les points de repère qui lui manquaient. La Bible, l'idée même de Dieu, la signification du sacré, par exemple, rien de tout cela ne lui était familier. Les ressemblances et différences les plus fondamentales entre juifs, chrétiens et musulmans n'étaient pas nettes dans son esprit. Pas plus que les principaux points d'accord et de désaccord entre le christianisme et le bouddhisme. L'unité des religions, et leur diversité, personne ne lui en avait clairement parlé. Ni à l'école ni chez elle.

Pourtant, il est indispensable d'avoir, sur toutes ces questions, des points de repère. Pour la « culture générale » et la compréhension des œuvres d'art. Pour la vie quotidienne dans le monde actuel. Dans tous les pays, à présent, voisinent des gens de croyances différentes, qui doivent apprendre à se connaître.

Ce n'est pas tout. Les religions sont un élément essentiel de l'expérience humaine. Si nous n'en parlons pas à nos enfants, des trésors d'humanité risquent de leur échapper totalement.

J'ai donc voulu essayer. J'ai tenté de parler avec ma fille, le plus simplement possible, de ce que croient des centaines de millions d'êtres humains, des espérances qui les animent et des sentiments qui les habitent. Il s'agissait de répondre à ses interrogations de manière juste et claire, sans cacher les limites de mes compétences ni les limites de cette tentative. Il n'était pas question de constituer des fiches d'encyclopédie. Percevoir l'esprit de chacune des diverses religions est plus important que de dresser la liste des fêtes ou des règles alimentaires.

Cela a pris du temps. Nous avons poursuivi de longues conversations, enregistré certains dialogues, échangé des notes. De jeunes lectrices et lecteurs ont fait part de leurs remarques. Plusieurs adultes ont également contribué à l'avancement de ce livre. Le texte tient compte de leurs suggestions. Je l'ai rédigé en pensant que ces éclaircissements pourraient être utiles à d'autres enfants et à d'autres parents.

Voilà donc le projet expliqué. Les religions, c'est une autre affaire. Il faut d'abord changer de page.

1

Des outils pour commencer

– Écoute, je préfère ne pas te raconter d'histoires. T'expliquer les religions, c'est impossible ! Mieux vaut le dire tout de suite : nous n'y arriverons pas !

– *Ça commence bien ! Moi, je pensais que tu pouvais me dire qui croit quoi, m'expliquer ce que les gens pensent dans les différentes religions.*

– Je vais essayer. Mais nous n'utilisions pas le mot « expliquer » dans le même sens, toi et moi, à l'instant. « Expliquer » peut vouloir dire « raconter ». Par exemple, si je te demande : « Explique-moi ce que tu as fait dans la journée », c'est simplement une façon de te demander de me raconter comment s'est passée ta journée, ce qui t'a intéressée ou ennuyée, etc. Ton « explication », dans ce cas-là, c'est simplement l'histoire de ta journée, le récit de ce qui t'est arrivé.

Mais ce mot peut aussi concerner les causes. Par exemple, si tu me dis : « Explique-moi le bleu du ciel », cela signifie : « Dis-moi *pourquoi* le ciel est bleu, comment ça se fait que ce soit comme ça et pas autrement. »

– *Et pour les religions ?*

– Eh bien, il me semble qu'on peut les « raconter ». On peut dire, en résumé, ce qu'elles contiennent. Mais on n'arrivera pas à dire de façon certaine

« pour quelles raisons » il existe des religions, à quoi correspond leur existence. Ça, il me semble que c'est une part de mystère. Ceux qui croient en Dieu verront là une part du mystère de Dieu. Ceux qui n'y croient pas diront que c'est une part du mystère des humains. Les animaux n'ont pas de religions ! Au contraire, les humains, presque partout, et à toutes les époques, sont fascinés par ce qui les dépasse et qu'ils ne parviennent pas vraiment à comprendre. Par exemple, la naissance, la mort, l'écoulement du temps, le simple fait d'exister, la beauté du monde, l'infinité du ciel, les grandes forces de la nature. A toutes ces questions, qui sont plus vastes que notre intelligence, les religions ont essayé de donner différentes sortes de réponses.

– *Combien il y a de religions ?*

– Mille et une ! Bien sûr, c'est une façon de parler. Mais c'est une expression qu'on pourrait comprendre, elle aussi, de plusieurs manières. « Mille » veut dire que les religions sont très nombreuses, très diverses. Tu le sais bien : dans tous les pays, dans toutes les civilisations, à toutes les époques, on trouve des religions. Cette grande diversité ressemble un peu à la diversité des êtres humains.

– *Les religions ne sont pas aussi nombreuses que les humains ! Sinon on ne va pas s'en sortir !*

– Pourtant, comme les humains, les religions naissent et meurent, à leur manière. En effet, beaucoup de religions ont disparu au cours de l'Histoire. Il reste des temples, des statues, parfois des textes. Mais plus personne ne les pratique. Les religions de l'Antiquité, comme celle des Égyptiens, celle des Grecs, celle des Romains, celle des Gaulois, sont étudiées par les historiens. Mais les gens de notre temps ne partagent plus certaines de leurs croyances. Les cérémonies de ces religions disparues ne sont plus suivies par personne.

D'autres religions ont traversé les siècles. La plupart des grandes religions qui existent aujourd'hui dans le monde entier sont très anciennes. Elles se sont maintenues depuis l'Antiquité, en se transmettant de génération en génération. Elles se sont parfois transformées. Elles ont dû s'adapter à des époques différentes. Dans l'ensemble, pourtant, ces religions qui ont traversé le temps sont restées à peu près les mêmes. Comme si elles avaient changé de coiffure ou de chapeau, mais en gardant le même visage.

– *On voit encore des religions qui naissent ?*

– Oui. En tout cas, il existe de nouveaux mouvements religieux, qui se développent particulièrement en Afrique et en Amérique latine. Au point de départ, on trouve le plus souvent une personne affirmant que Dieu lui a fait des révélations. Elle dit, par exemple, avoir eu des visions au sujet de l'avenir ou avoir reçu de Dieu des messages. Parfois, cette personne reste à l'intérieur d'une religion déjà existante. Souvent, dans les sociétés africaines ou latino-américaines, ces prophètes deviennent des fondateurs de religions nouvelles. Leurs croyances reprennent une partie des idées religieuses déjà existantes en les transformant plus ou moins. Certains mouvements de ce genre restent très limités. D'autres prennent plus d'importance. En tout cas, il existe toujours une grande capacité de création dans ce domaine.

Voilà pourquoi je t'ai répondu tout de suite qu'il y avait « mille » religions. En disant cela, bien sûr, je ne voulais pas donner un chiffre. Je voulais seulement souligner l'existence d'un grand nombre, et d'une grande diversité, de croyances et de cérémonies religieuses.

– Tu avais dit « mille et une ». A quoi correspond « et une » ?

– Tu sais que les religions sont très nombreuses. Malgré tout, tu ne dis pas toujours « les » religions. Il t'arrive aussi de dire « la » religion comme si, dans le fond, il n'y en avait qu'une. D'un côté, elles sont « mille » : elles ont des façons de voir le monde différentes ou même opposées. D'un autre côté, on peut penser qu'elles sont une seule. Ce qui les rapproche, c'est qu'elles correspondent toutes à une recherche de l'humanité.

– A ce moment-là, ce n'est pas « une de plus », c'est « une en tout » !

– Tout à fait ! Ça signifie que toutes ces religions différentes gardent leur visage, mais que tous ces visages ensemble possèdent un air de famille. Ce n'est pas très facile à comprendre d'un seul coup. Pour y arriver mieux, il faut que nous fassions un bout de chemin. Je te propose de mettre de côté ce « mille et une ». Nous le retrouverons plus tard. Alors, peut-être, on le verra sous un autre angle.

– Il y a toujours eu des religions ?

– Les hommes préhistoriques possédaient sans doute déjà des formes de religions.

– A mon avis, ils ne croyaient pas en un dieu, parce qu'on n'a pas retrouvé de signes montrant qu'il y avait des cérémonies…

– Nous ne pouvons pas être certains de ce qu'ils croyaient, puisque nous ne disposons d'aucun document écrit. L'Histoire proprement dite commence avec l'invention de l'écriture. La Préhistoire ne nous a laissé aucune phrase inscrite nulle part. Mais on peut penser que les dessins et les fresques que l'on trouve dans certaines grottes préhistoriques ne sont pas seulement des peintures décoratives et des œuvres d'art. Ces dessins étaient probablement liés à des réunions, des fêtes, des rites, des cérémonies, peut-être à de la magie, en tout cas à des commencements de religion. Et, surtout, les hommes préhistoriques ont inventé les tombeaux. Ils enterraient les morts. Ils avaient certainement une croyance à propos de ce qui pouvait se passer après la mort. On peut donc penser qu'ils avaient réellement des formes de religions. Mais on ne sait presque rien de leur contenu.

– Donc, dans tes mille, tu comptes aussi les religions des hommes préhistoriques !

– Oui. D'ailleurs, il n'y a pas d'exemple de société humaine où il n'y ait pas de religion du tout. Aujourd'hui, il y a de plus en plus de gens qui ont des convictions et des pensées à eux, mais qui ne pratiquent pas. Ils ne se reconnaissent pas dans une religion existante. Mais cela n'empêche pas que, dans cette société, il existe des religions ! Dans la société où tu vis, il y a des chrétiens, des juifs, des musulmans, des bouddhistes… Il y a des gens qui pratiquent des religions différentes, et d'autres gens qui n'en pratiquent aucune. Mais, dans l'ensemble de la société, des religions existent.

Encore une fois, dans l'histoire humaine, une société où il n'y ait pas du tout de religion, cela n'a jamais existé. Depuis que les hommes vivent, ils ont des religions. Les sociétés sont très différentes, mais il y a toujours, en chacune, « quelque chose » qui correspond à la religion. Il va falloir essayer de comprendre à quoi cela correspond. Quelle est cette « chose » ? Qu'est-ce que font les êtres humains avec les religions ? Ce n'est pas une question simple…

– Il faut qu'on regarde la définition du mot « religion » ! On n'a pas encore parlé de ce qu'il veut dire. D'où vient ce mot ?

– C'est un terme qui vient du latin. Il y a deux manières différentes d'expliquer son origine, et les savants discutent sans pouvoir décider quelle explication est la bonne. Tu vas voir, il est intéressant de regarder la différence entre ces deux sens.

Certains spécialistes disent que l'origine du mot « religion » vient de *religare*, qui veut dire en latin « relier ». Tu as là une idée assez simple : « On appelle "religion" ce qui essaie de *relier* le monde des humains et le monde divin. » En ce sens, on appelle « religion » toutes les activités qui veulent relier les hommes et les dieux, ou si l'on veut la Terre et le Ciel, ou bien encore le monde naturel et le monde surnaturel. Chaque fois, c'est « relier » la signification centrale.

D'autres savants disent que le terme « religion » vient du latin *relegere* qui, lui, veut dire « relire ». Le plus important, pour les Romains, quand ils récitaient une prière ou faisaient un sacrifice en l'honneur des dieux, c'était qu'on n'ait pas commis d'erreur, qu'on ait tout relu avec précision. *Religio*, en latin, peut vouloir dire « scrupule ». Tu vois, là, c'est assez curieux : le mot « religion » peut aussi vouloir dire « scrupule ». Cette fois, l'idée principale est qu'il faut faire attention, qu'il ne faut pas se tromper, être sûr d'avoir fait tous les bons gestes, dit toutes les bonnes prières. Ce deuxième sens insiste sur un autre aspect de la religion…

– *Celui du « strict »…*

– Oui, on trouve là des idées qui remontent à l'Antiquité. Chez les Romains, par exemple, voilà ce qu'on pensait : si au cours d'une cérémonie religieuse le prêtre s'était trompé d'un mot, d'un geste, tous les habitants de la région allaient être punis. Les dieux risquaient de se fâcher. Ils pouvaient détruire les récoltes, ou déclencher des tempêtes, ou répandre des maladies. Il fallait donc répéter les formules sacrées sans se tromper d'une virgule, même si on n'en comprenait plus le sens.

Ces deux origines possibles du mot « religion » en latin (« relier » ou bien « relire »), on peut aussi les mettre en rapport avec ce que j'appelle les « deux côtés » des religions. En effet, elles ont toutes un côté « intérieur » et un côté « extérieur ».

– *Ça veut dire quoi ?*

– L'« intérieur », ce sont les sentiments religieux, les convictions, les croyances, la foi : tout ce qui est ressenti et vécu par l'esprit des êtres humains de manière personnelle, intime. En ce sens, l'expérience religieuse se passe d'abord « à l'intérieur » de chacun. L'important, c'est ce qu'on ressent soi-même.

L'autre versant, c'est tout ce qui se passe « à l'extérieur » de la tête des gens, dans la société : des rassemblements dans des églises, des cérémonies et des rituels, des prêtres et des moines, des habitudes et des fêtes fixes dans le calendrier. Tous ces éléments appartiennent aussi à la religion. Mais tu vois bien qu'ils ne se situent pas sur le même plan que les sentiments personnels de chacun.

– *Alors, d'après toi, quand une seule personne se fabrique sa croyance personnelle, ce n'est pas une religion ?*

– C'est une partie de religion. Un élément, si tu veux. Mais ça ne peut pas correspondre entièrement à la définition de la religion. Si quelqu'un fabrique sa croyance personnelle, cette religion existe dans sa tête, « à l'intérieur », mais elle n'est pas partagée par d'autres, « à l'extérieur ».

Quand une personne possède « sa » religion bien à elle (au sens de ses convictions, de ses croyances individuelles), cette religion n'a pas de cérémonies, d'adeptes, de temples, pas de prières, de rituels, pas de fêtes collectives. Mais une religion ne peut pas être constituée seulement par des idées individuelles, elle est aussi composée d'une série d'activités qui rassemblent les gens dans une société. Il y a forcément ces deux côtés ensemble.

Ce n'est d'ailleurs pas le seul couple d'opposés que nous allons rencontrer.

– *Qu'est-ce que c'est, un couple d'opposés ?*

– Ce sont deux idées contraires mais inséparables. Elles forment un ensemble, comme par exemple « bon ou méchant », « positif ou négatif ». Pour définir les religions, le couple d'opposés « **sacré** ou **profane** » est très important.

On va appeler **sacré** ce qui est considéré comme habité d'un pouvoir qui dépasse celui des humains et celui de la nature. Un arbre peut être sacré, mais aussi une pierre, un animal, un bâtiment. En apparence, rien ne les distingue des autres. Mais ils vont être vus comme différents. Ils sont à part. Ils sont même tellement différents que l'on ne pourra pas s'approcher d'eux sans précautions. Dans chaque religion, toute une série de règles définit les précautions à prendre pour pouvoir s'approcher de ce qui est sacré.

Ce qui est **profane** est beaucoup plus simple à définir. C'est tout le reste ! Tout ce qui n'est pas sacré, c'est-à-dire le monde banal, quotidien, sans mystère ni pouvoir particuliers, voilà le profane. L'une des activités principales des religions est de « surveiller la frontière », si j'ose dire, entre le profane et le sacré.

– *Qu'est-ce qui arriverait si on passait cette frontière sans faire attention ?*

– Des catastrophes ! En tout cas, des événements graves. Tout dépend des religions, évidemment. Mais l'idée centrale est que le sacré possède un pouvoir terrible. Le sacré est considéré comme quelque chose de merveilleux, de sublime, et en même temps de redoutable, d'effrayant. Du point de vue religieux, le sacré peut être destructeur pour les êtres humains s'ils n'observent pas les règles.

Et la première des règles est justement de respecter la frontière séparant sacré et profane. « Profaner » un temple ou un tombeau, c'est ne pas se soucier de leur caractère sacré, y entrer comme dans n'importe quel endroit.

– *Comment ça se fait ? Ce qui est sacré pour quelqu'un n'est pas forcément sacré pour quelqu'un d'autre ?*

– Non, évidemment, car c'est une question de croyance ! Mais on peut ne pas partager la croyance de quelqu'un et la respecter malgré tout. Cette croyance, même si nous pensons qu'elle est fausse ou bizarre, est jugée essentielle par celui qui est convaincu. Pour lui, c'est vital ! Si des gens croient qu'un arbre est sacré, tu ne vas pas abattre cet arbre simplement parce que toi tu n'y crois pas ! Même si l'arbre gêne pour faire passer une route ou des lignes électriques.

C'est la même chose pour un temple ou un tombeau. Un temple hindou, par exemple, n'a rien de sacré à mes yeux. Mais si des hindous m'interdisent d'y entrer, parce que dans leur esprit ce lieu sacré est réservé aux hindous, je dois respecter cette interdiction, par respect pour eux. Chaque croyance partagée par des êtres humains, du moment qu'elle n'est pas dangereuse ou nuisible, il faut s'efforcer de la respecter, même quand on ne la partage pas.

– *Et comment faire quand les autres refusent de respecter ce qu'on croit, quand ils pensent que leurs idées sont vraies et qu'ils veulent les imposer ?*

– Tu poses là une question très importante et très difficile. Il faut arriver à faire régner la tolérance. Mais ce n'est pas évident dans le domaine des religions, justement parce que chaque religion est persuadée d'être dans le vrai et d'avoir raison ! Un nouveau couple d'opposés peut être très utile pour avancer dans notre réflexion : « **fanatisme** ou **tolérance** ».

Le **fanatisme,** c'est l'attitude d'une personne tellement convaincue de posséder la vérité que son but principal devient d'imposer aux autres ses convictions. Pour le fanatique, ce qu'il croit est absolument certain, totalement vrai. Il va donc chercher à faire triompher ses idées par tous les moyens, y compris par la violence.

Le fanatique ne laisse pas de place dans le monde pour une autre croyance que la sienne. D'ailleurs, il ne se rend même pas compte que cette croyance est « la sienne ». Il considère que c'est « la » vérité, purement et simplement. Le fanatique ne dit pas : « Ceci est *ma* croyance. » Il se dit au contraire : « Je suis totalement dans le vrai, je possède la vérité absolue. » Ceux qui ne pensent pas comme lui sont dans l'erreur, à ses yeux. Il veut imposer ses idées aux autres parce qu'il est convaincu de la supériorité de ses convictions.

– *Ça peut être très dangereux !*

– Oh oui ! Depuis le commencement de l'histoire humaine, c'est toujours l'un des principaux dangers pour la liberté ! On trouve en effet des attitudes fanatiques dans toute l'Histoire. Et dans beaucoup de domaines différents, comme la politique ou la morale. Mais c'est dans le domaine des religions que se sont développés les fanatismes les plus intenses et les plus meurtriers. Certains êtres humains peuvent tuer, torturer, commettre de grands crimes quand ils sont absolument persuadés d'agir selon un ordre donné par Dieu. Ils sont convaincus qu'en agissant ainsi ils vont gagner un Paradis éternel. Alors, ils ne respectent plus rien…

– *Et il y a des fanatiques dans toutes les religions ?*

– Hélas, oui ! On ne connaît presque pas d'exceptions. Mais il faut ajouter tout de suite que dans toutes les religions il y a aussi de grands sages qui ont refusé le fanatisme. Ces sages ont insisté sur le respect des autres, sur la **tolérance**. Ce serait donc une erreur de croire qu'il existe d'un côté les religions avec les fanatismes qu'elles peuvent faire naître et de l'autre côté, en dehors du domaine religieux, l'esprit de tolérance. Au contraire, il y a presque partout des fanatiques et presque partout des esprits tolérants.

Je n'ai pas oublié la question que tu as posée tout à l'heure : « Comment faire quand les autres veulent imposer leurs idées et refusent de respecter les nôtres ? » La seule issue me paraît être de parvenir à créer un espace de tolérance, c'est-à-dire une liberté d'expression et une liberté de culte réellement garanties pour chacun.

– *C'est quoi, la liberté de culte ?*

– C'est le droit de pratiquer sa religion sans être poursuivi ou menacé. C'est aussi le droit de ne pas avoir de religion. Bref, c'est la possibilité pour chacun de suivre le chemin qui lui convient, sans que rien ne soit imposé. La seule chose imposée, c'est de ne pas nuire aux autres. La liberté de culte est un des droits de l'homme.

Dans la Déclaration universelle des droits de l'homme de 1948, l'article 18 le dit exactement : « Toute personne a droit à la liberté de pensée, de conscience et de religion ; ce droit implique la liberté de changer de religion ou de conviction ainsi que la liberté de manifester sa religion ou sa conviction seule ou en commun, tant en public qu'en privé, par l'enseignement, les pratiques, le culte et l'accomplissement des rites. »

C'est la réalisation véritable de la tolérance. En effet, souvent, quand on parle de « tolérer » quelque chose, ça veut dire simplement qu'on laisse faire. On supporte, on accepte plus ou moins, mais sans autoriser vraiment. Ce sens-là est faible, et même un peu dangereux. Si je disais que je tolère que tu invites tes amis à la maison, ce ne serait pas très gentil pour eux ni pour toi ! Ils ne seraient pas pleinement invités ! La vraie tolérance est beaucoup plus forte. Tu n'es pas du même avis que l'autre, son univers te paraît étrange, ou tu penses même qu'il se trompe tout à fait dans ce qu'il croit. Mais tu choisis de respecter son droit à parler, à penser, à pratiquer ce qui lui paraît vrai. Et ce n'est pas seulement une attitude individuelle. Aujourd'hui, les lois de la République sont là pour garantir cette liberté.

– *C'est pas comme du temps des rois ! En France, il fallait obligatoirement être catholique !*

– C'est exact : il existait une religion officielle, une religion du royaume ou de l'empire. La séparation de l'Église et de l'État, en France, n'a eu lieu qu'en 1905. Avant, il n'était pas permis de n'avoir pas de religion. Et il était très difficile d'avoir une autre religion que la religion catholique. Il y a cent ans, dans presque tous les pays du monde, il existait une religion obligatoire. Ce n'était pas la même selon les régions du monde, mais il y en avait presque toujours une.

Depuis, presque partout dans le monde, la place des religions par rapport à la société a changé. Voilà encore un couple d'opposés ! « **Société religieuse** ou **société laïque** ». Autrefois, ce qui dominait, c'étaient les **sociétés religieuses**. Dans ce genre de société, le pouvoir de l'État (le roi, ou l'empereur, ou le gouvernement) est lié à une religion. Il n'y a pas de différence entre ce que la religion impose et ce que les chefs politiques décident. La religion et la société se correspondent exactement, comme si elles étaient posées l'une sur l'autre. Ce qui est sacré aux yeux de la religion est sacré aussi pour l'État.

Au contraire, dans une **société laïque**, tout ce qui est collectif et public reste en dehors de la religion. Il n'y a aucune religion officielle. Du point de vue religieux, l'État est neutre. Les religions sont des affaires privées.

– *Peux-tu me donner un exemple ?*

– Dans une société religieuse, les écoles vont apprendre aux élèves ce que croit la religion officielle du pays. Au contraire, dans une société laïque, l'école ne doit pas influencer les élèves. A l'école, les enfants apprennent à lire, à écrire et à compter. Quand ils sont plus grands, ils apprennent l'histoire, la géographie, les langues, les mathématiques, etc. Mais c'est seulement chez eux, à la maison, dans leur famille, qu'ils reçoivent une éducation religieuse, ou bien aucune.

– *Dans une société laïque, il peut y avoir plusieurs religions qui vivent ensemble. Il n'y en a aucune qui domine !*

– Exactement ! L'État est indépendant des religions. Il doit veiller à l'application des principes de la tolérance.

– *Mais dans une société où l'État gouverne au nom d'une religion, il y a plus de risques de fanatisme !*

– Tout à fait !

– *Ce que je ne comprends toujours pas, c'est pourquoi il y a des religions. Ça vient d'où ? A quoi ça correspond ? Pourquoi les gens doivent-ils construire des trucs comme ça ?*

– Question piège !

– *Pourquoi ?*

– Parce que la réponse est très différente si elle vient de l'intérieur du domaine des religions ou bien de l'extérieur de ce domaine.

Par exemple, si je demande pourquoi le christianisme existe, la réponse des chrétiens sera que Dieu a envoyé son fils aux hommes, que Jésus est mort pour délivrer tous les humains et que la religion chrétienne s'est développée pour diffuser cette « bonne nouvelle » (en grec, le mot « évangile », qui est utilisé pour nommer les récits de la vie du Christ, veut dire « bonne nouvelle »). A l'intérieur d'une religion, il y a donc des réponses expliquant pourquoi elle existe et à quoi elle correspond. Accepter ces réponses, c'est croire à cette religion.

Si on se place au contraire à l'extérieur du domaine des religions, on va essayer de les expliquer sans croire à ce qu'elles disent. On va considérer les religions comme des inventions humaines. On dira, par exemple, que les humains des temps très anciens avaient une peur terrible des forces de la nature comme les orages, les tempêtes, les grandes nuits froides de l'hiver. Alors, ils ont imaginé que ces puissances terribles appartenaient à des dieux. Un dieu de la foudre, un dieu du vent, un dieu de la nuit noire se sont mis à habiter leur imagination. Et pour éviter la colère de ces dieux, il fallait leur faire des cadeaux, leur obéir.

Quand on donne ce genre d'explications, on considère finalement que les croyances religieuses sont des illusions, des mirages, des fables fabriquées par l'imagination humaine.

– *Désolée, mais je ne vois toujours pas où est le piège !*

– Eh bien, le piège, c'est qu'on entre aussitôt dans le camp des « pour » ou dans celui des « contre », selon l'explication qu'on choisit.

En effet, si tu donnes une explication chrétienne du christianisme (ou une explication musulmane de l'islam, ou une explication hindouiste de l'hindouisme, et ainsi de suite), tu te places à l'intérieur de cette religion. Tu deviens « pour ». Tu fais sa publicité, en quelque sorte. Au contraire, si tu te places à l'extérieur, si tu cherches la source d'une religion donnée dans l'imagination des hommes, par exemple, alors aussitôt tu deviens « contre ». Tu considères que cette religion est un rêve. Tu l'attaques et...

– *Ça la vexe !*

– Oui, si tu veux. C'est pour cela que je parlais de « question piège ». En cherchant à expliquer les religions, en voulant comprendre à quoi elles correspondent et pourquoi elles existent, on risque d'être enfermé dans un « pour ou contre ». C'est un piège, parce que nous voulons réfléchir et comprendre. Nous ne cherchons pas à aider les religions ni à les attaquer !

– *Il n'y a pas de moyen d'en sortir ?*

– Il y a un chemin, mais il n'est pas très large ! On peut remarquer que les religions sont liées à de grandes questions.

– *Lesquelles ?*

– Les principales sont : pourquoi le monde existe-t-il ? Pourquoi y a-t-il des êtres humains ? Comment expliquer qu'il y ait des hommes et des femmes ? Comment doivent-ils conduire leur existence, selon quelles règles, dans quel but ? Que se passe-t-il après la mort ? D'où vient le mal ? Pourquoi y a-t-il des méchancetés et des injustices ?

Les religions apportent des réponses à ces questions. En tout cas, elles prétendent souvent en apporter. Ce ne sont pas les seules réponses possibles. D'autres sont parfois fournies par les sciences, ou par les philosophies. Mais ce qu'il y a de commun entre les religions, les sciences et les philosophies, c'est une interrogation sur la vie. On pourrait dire que l'espèce humaine est inquiète. Elle réfléchit à sa présence dans le monde, à l'existence, à la meilleure manière de se comporter. Elle se préoccupe de ce qui la dépasse : l'univers, l'infini, l'éternité. Les mouches, les vers de terre ou les pigeons n'ont pas ce genre de souci. Ni aucune autre sorte d'animal.

– *Qu'est-ce que tu en sais ?*

– D'accord, je n'en sais rien. Mais personne n'en sait rien ! Il existe peut-être une religion secrète des mouches, ou bien de la poésie et des romans d'aventures chez les fourmis. En tout cas, c'est bien caché. Personne n'en a jamais rien vu. Au contraire, pour observer les religions, il suffit de regarder autour de nous : l'histoire des êtres humains en est pleine ! Au cours des siècles, les religions n'ont pas cessé d'émouvoir, de passionner, d'enthousiasmer les cœurs humains. Les plus grandes craintes, les plus grandes espérances de l'humanité se sont exprimées dans les religions.

Si nous gardons ceci en tête, nous pouvons éviter le piège du « pour ou contre ».

– *Comment ?*

– Eh bien, nous n'allons pas chercher à savoir qui a raison et qui a tort, ni quelle religion est la meilleure. Nous n'allons pas non plus nous demander si avoir une religion est meilleur ou moins bien que de ne pas en avoir. Nous allons tenter de les regarder comme des témoignages de la recherche inquiète des êtres humains. Même si les religions sont mille, cette recherche est une !

2

Qui croit quoi ?

Les religions monothéistes : judaïsme, christianisme, islam

– Dans l'histoire des religions, le grand changement a été la croyance en un dieu unique. Les religions de l'Antiquité, celles des Grecs et des Romains, mais aussi celles de l'Inde et de la Chine, étaient fondées sur l'existence de plusieurs dieux. On pensait qu'il existait un dieu du ciel, un dieu de la mer, un dieu de la végétation, ou de la fécondité, ou de la chasse, ou du feu. A chacun de ces dieux correspondaient des fêtes particulières et des rituels spécifiques. Chacun d'entre eux réclamait des sacrifices qui lui étaient propres. Chaque dieu avait ses qualités et ses pouvoirs.

Ces religions à plusieurs dieux se nomment des **polythéismes** (du grec *poly*, « plusieurs », et *théos*, « dieu »). Et les religions qui affirment l'existence du dieu unique forment le **monothéisme** (du grec *monos*, « un seul », et *théos*, « dieu »).

– Elle est apparue comment, cette croyance en un dieu unique ?

– Des croyants pourraient te répondre que Dieu lui-même s'est fait connaître. Des non-croyants te diraient que les pensées des hommes ont évolué par elles-mêmes pour aboutir finalement à cette conception. Ne tombons pas dans le piège que nous avons déjà aperçu : « croire » ou « ne pas croire », être « dedans » ou « dehors », et donc « pour » ou « contre ». Il est plus intéressant de comprendre ce que signifie l'idée : « Il n'existe qu'un seul dieu. » Il est important de voir combien cette idée est originale et, en fait, difficile à penser.

Quand une religion rassemble un certain nombre de dieux, chacun d'eux a son caractère, si l'on peut dire, et sa spécialité. Dans l'Antiquité, il était fréquent que les dieux changent suivant les pays, suivant les régions, suivant les villes. Il y avait même des sortes de petits dieux particuliers pour une famille. Les ancêtres étaient transformés en puissances protectrices.

– *C'est plus tard que l'on a commencé à penser à l'existence d'un dieu unique ?*

– Non. Curieusement, ce n'est pas réellement plus tard. C'est dans la religion juive, qu'on appelle aussi le **judaïsme**, qu'est apparue l'idée qu'il n'existe qu'un seul dieu. Pendant longtemps, à l'époque des Grecs et des Romains, seuls les juifs ont eu cette idée, qui était très différente de celles des autres peuples. Plus tard, cette idée s'est répandue dans le monde entier. Aujourd'hui, si on te parle de Dieu, avec une majuscule, et sans précision supplémentaire, tu ne te demandes pas « dieu de quoi ? », « dieu de quelle région ? ». Tu sais tout de suite qu'il s'agit de Dieu, qui est unique, par définition.

Ce « dieu unique » est extraordinaire. On s'en aperçoit dès qu'on commence à y réfléchir. En effet, il n'est pas du même type que les multiples dieux des religions polythéistes, comme celles des Grecs ou des Indiens. Imagine, par exemple, que parmi les dieux grecs on en retienne un seul. On prend Apollon et on supprime tous les autres : Zeus, Hermès, Athéna, etc. Ce serait une façon de n'avoir qu'un seul dieu. Apollon serait devenu *un* dieu unique ! Mais ce ne serait pas du tout Dieu, *le* dieu unique du monothéisme.

– *Pourquoi ?*

– Parce qu'Apollon, comme tous les dieux grecs, n'est qu'un élément d'un ensemble : « les » dieux. Si on isole ce dieu, on a seulement l'équivalent d'un personnage sorti d'une pièce de théâtre. Mais tout seul, sans les autres personnages, il ne peut plus réellement tenir son rôle ! Malgré tout, la différence essentielle est encore ailleurs. Apollon, ou n'importe quel dieu du polythéisme, est assez facile à connaître. Son passé, ses aventures, son comportement, son caractère ressemblent beaucoup à ceux d'un homme. Ces dieux sont des « superhommes ». Ils ont des pouvoirs particuliers, une force supérieure. Mais, en fin de compte, ils ressemblent beaucoup à des êtres humains. Au contraire, Dieu, le dieu unique du monothéisme, est profondément différent d'un être humain. Parce qu'il est infini !

– *Comment ça, « infini » ?*

– « Infini » veut dire qu'il a toujours existé et qu'il existera toujours, du point de vue de ceux qui croient en Dieu. Dès que tu commences à réfléchir à cette idée d'un dieu infini, pur esprit, tout-puissant, tu vois que c'est une idée à la fois extrêmement forte et presque impossible à saisir.

– *Comment quelqu'un peut-il être infini ?*

– Eh bien, justement, Dieu n'est pas « quelqu'un » !

– *Alors, comment une chose peut-elle être infinie ?*

– Ce n'est pas non plus une chose. Les êtres humains évidemment...

– *Sont finis !*

– Oui. Les êtres humains ont des limites. Ils meurent tous un jour. C'est ça que veut dire « finis ». Ils ont des limites de taille, même s'ils sont très grands. Des limites de poids, même s'ils sont très gros. D'âge, même s'ils sont très vieux. De force, même s'ils sont très courageux, etc. Mais l'idée d'un dieu infini, c'est l'idée d'un être qui n'a aucune de ces limites-là.

– *Ça, c'est très difficile à penser ! A mon avis, il vaut mieux enlever le mot « infini » !*

– Non ! Si on enlève le mot « infini », on enlève Dieu ! Infini veut dire, par exemple, que Dieu sait tout, qu'il peut tout, qu'il comprend tout.

– *C'est l'Être suprême !*

– C'est effectivement une expression qu'on a employée pour le désigner. Mais elle est presque trop précise. Dieu est une puissance plus grande que tout ce que nous pouvons imaginer avec nos intelligences humaines. Si tu ne comprends pas, c'est tout à fait normal ! Très souvent, de grands penseurs religieux soulignent que Dieu n'est pas compréhensible. Aucun être humain ne peut dire : « J'ai compris Dieu. » Justement, parce que Dieu est infini.

– *C'est vrai que c'est très difficile à comprendre !*

– Encore une fois : c'est normal ! L'infini est tellement immense qu'on ne peut pas se le représenter. On ne peut presque rien en dire, rien en penser ! Dès que tu vas dire ou penser quelque chose à son sujet, ce que tu vas dire ou penser va être copié sur des activités humaines. Tu vas dire, forcément, que Dieu « veut », « crée », ou « sait », ou « pense ». Nous savons à peu près ce que signifie, pour un humain, « vouloir », « créer », « savoir », etc. Mais pour Dieu ? Nous n'en savons rien. Personne n'en sait rien ! En parlant de Dieu, nous allons donc toujours employer des expressions qui ne vont pas convenir.

Si ça te paraît plus facile, remplace « infini » par « éternel ». Dieu, pour les juifs, est « l'Éternel ». Il n'est jamais né, il ne mourra jamais. Il a toujours existé, il existera toujours. L'apport du judaïsme, la religion juive, à toute l'histoire de l'humanité, c'est d'abord cette idée de Dieu. Et ce n'est pas simplement une idée abstraite. Cet Être éternel, après tout, pourrait ne pas s'intéresser aux êtres humains, qui sont microscopiques et qui vivent si peu de temps. Mais non. Au contraire, il s'occupe de l'humanité. Et il fait alliance avec le peuple juif, d'après ce que raconte la Bible.

– *Qu'est-ce que c'est exactement, la Bible ? J'ai entendu ce nom-là souvent, mais je voudrais que tu m'expliques ce qu'il désigne précisément.*

– Le mot vient du grec ancien. *Biblos* veut dire « livre ». « La Bible », c'est donc « LE » Livre. Pas simplement un livre, ni même un livre sacré, mais bien « LE » Livre. Parce qu'il contient, pour ceux qui y croient, la parole de Dieu.

– *De quelle façon Dieu peut-il parler ?*

– Soit de manière directe : il a transmis à Moïse les dix commandements, c'est-à-dire les dix règles selon lesquelles doivent vivre les êtres humains ; je vais y revenir tout à l'heure. Soit de manière indirecte : Dieu inspire des prophètes, il parle à leur cœur et ensuite ils s'expriment en son nom et transmettent ses messages. L'essentiel, c'est de voir que, pour le judaïsme, il existe une alliance entre l'Éternel et le peuple juif. Ici, ce n'est pas seulement la conception d'un Dieu unique qui est importante, mais aussi cette idée d'un accord, d'un pacte entre ce Dieu unique et un peuple. Il ne s'agit pas d'une soumission aveugle des hommes au pouvoir divin. C'est plutôt comme un échange de promesses où chacun s'engage : un contrat. La Bible, c'est en premier lieu l'histoire de ce contrat. Elle explique comment il s'est établi, comment il a évolué.

Car il existe plusieurs étapes dans cette Alliance. La première, c'est l'Alliance avec Abraham. Abraham est le fondateur de la religion juive, le premier qui décide d'obéir totalement au dieu unique et d'engager sa descendance dans cette obéissance. Et Dieu le met à l'épreuve en lui demandant de tuer son fils Isaac. Malgré sa peine, Abraham décide d'obéir, parce que c'est un ordre venu de Dieu. Au moment où il lève le couteau du sacrifice pour égorger son fils, le texte de la Bible dit qu'un ange retient son bras et qu'un bélier prend la place d'Isaac. Et Abraham retrouve son fils.

– *Qui a écrit la Bible ?*

– On dit que Moïse a rédigé la partie la plus ancienne, les cinq livres de ce que les juifs appellent en hébreu la *Tora* (c'est-à-dire l'enseignement, la loi). Moïse aurait écrit d'après ce que Dieu lui-même, selon la Bible, lui a transmis sur le mont Sinaï. Mais il est sûr aujourd'hui que les différents textes de la Bible ont été écrits par plusieurs personnes, à des époques différentes. Les historiens spécialistes discutent des dates et des auteurs possibles des différents textes qui composent la Bible. En tout cas, ceux qui ont écrit les derniers livres ne sont pas ceux qui ont composé le récit de la création du monde qui se trouve au commencement.

– *Quelle est l'histoire de cette création ?*

– Dans la Bible, cette création du monde s'appelle la Genèse – encore un mot grec, qui signifie « création ». Dieu ne crée pas le monde « à partir de quelque chose », que ce soit un modèle ou des matériaux qui existent déjà. Il crée le monde, dit le récit de la Genèse, par sa parole. Ça aussi, c'est très difficile à concevoir. Il suffit à Dieu de penser et de dire une chose pour que cette chose existe.

– *Nous, quand nous pensons une chose, ça ne la fait pas exister !*

– Quand il fait tout noir, si je pense à la lumière, ça n'éclaire rien ! Selon la Bible, Dieu, pour créer la lumière, n'a eu qu'à dire : « Que la lumière soit ! » Sa parole seule suffit pour faire exister les choses. Il y a donc, de ce point de vue, une puissance infinie de la pensée et de la parole de Dieu. A tel point que, dans la religion juive, le nom de Dieu ne doit pas être prononcé.

– *Dans la Bible, quelle est pour toi la phrase la plus importante ?*

– C'est une question presque sans solution ! Il y a tellement de phrases importantes ! S'il fallait malgré tout n'en retenir qu'une, ce serait une phrase à la fois très célèbre et très énigmatique. Quand Dieu apparaît à Moïse, sous la forme d'un buisson de feu, Moïse lui demande comment il s'appelle.

– *Mais tu as dit qu'il ne fallait pas prononcer le nom de Dieu !*

– Eh bien, justement, ce que Dieu répond, ce n'est pas un nom ! Il dit : « Je suis celui qui est. » Il est très difficile de saisir toutes les significations de ces mots. Mais on comprend tout de suite quelque chose d'essentiel : Dieu, c'est l'être. Pas seulement « l'Être suprême », pas seulement « un être » qui serait le plus grand de tous les êtres qui existent. Mais, en un sens, le simple fait d'être.

– *Et c'est qui, Moïse ? Un prophète ?*

– Moïse est un enfant juif, fils d'une esclave qui ne

pouvait plus le nourrir. Car les descendants d'Abraham étaient devenus esclaves en Égypte. Moïse, qui a été abandonné sur le Nil dans un berceau flottant, a été recueilli et élevé par la cour du Pharaon. Il va réussir à faire sortir les juifs d'Égypte. Il va les libérer et les emmener vers la Terre Promise par Dieu à son peuple. Après cet exode, un voyage dans le désert qui dure quarante ans, Dieu conclut avec le peuple juif une nouvelle Alliance. Le peuple juif devient un « peuple de prêtres », c'est-à-dire qu'il doit garder et transmettre les commandements de Dieu, et pour cela il doit rester pur.

– *Quels sont les commandements ?*

– Il y a dix commandements. Par exemple : « Tu ne tueras pas. » Ce commandement s'oppose évidemment aux sacrifices humains, qui étaient fréquents dans les religions de l'Antiquité, mais il peut s'opposer également à toute forme de guerre. L'important à comprendre, c'est qu'il existe une dimension morale essentielle dans la religion juive. Il s'agit de maintenir la loi morale, de la préserver et de la transmettre. Et, bien sûr, de la mettre en application. Et cette loi morale, que la Bible présente comme reçue de Dieu, ne s'adresse pas seulement aux juifs, mais à tous les êtres humains. Mais, selon leur religion, les juifs sont en quelque sorte les gardiens de cette loi de Dieu. Ils pensent que tout leur peuple s'est engagé à la respecter et se trouve responsable de sa transmission.

C'est pour cela que la Bible est si importante pour les juifs. Elle contient la parole de Dieu, la Loi qu'il a donnée aux hommes. Il faut donc transmettre « le » Livre, respecter ce qu'on appelle aussi « les Écritures ». Le judaïsme est la première « religion du Livre ». Au cours de l'Histoire, ce Livre a permis au peuple juif de maintenir son identité malgré sa dispersion.

– *Pourquoi s'est-il dispersé ?*

– C'est principalement après la destruction du Temple de Jérusalem, qui était le centre de toutes les cérémonies, par les Romains, en l'an 70 de notre ère, que les juifs ont commencé à se disperser. Et, jusqu'à nos jours, dans les différents pays où ils vivent, au Nord ou au Sud, ceux qui pratiquent la religion juive l'ont transmise. Ils ont conservé de génération en génération la connaissance de l'hébreu, la langue de la Bible, le texte des Écritures, et aussi la mémoire des commentaires, car les textes de la Bible ont été accompagnés de très nombreuses explications.

Ainsi, comme tu vois, la religion du dieu unique, le monothéisme, a été une sorte de révolution dans l'histoire des religions. Ce n'est pas seulement la croyance en « un dieu » au lieu de « plusieurs dieux », c'est la croyance en l'existence de l'infini, de l'Éternel, du Tout-puissant. C'est aussi la conviction que Dieu a donné la révélation de sa parole aux hommes et s'est engagé avec eux dans une histoire commune. Car le point commun aux différentes religions qui croient au dieu unique – le judaïsme, le christianisme et l'islam – est de croire aussi que Dieu s'est manifesté aux êtres humains, leur a transmis sa parole et sa loi, et qu'il se préoccupe de leur destinée.

– *Les religions à plusieurs dieux ont toutes disparu ?*

– Non ! Il existe encore aujourd'hui des religions polythéistes. Par exemple, les nombreuses religions animistes, que l'on trouve surtout en Afrique, mais aussi dans certaines régions d'Amérique latine et d'Asie. Ce sont des religions qui croient aux esprits (en latin *anima* signifie une « âme » ou un « esprit », quelque chose d'*animé*). On croit par exemple qu'il existe un esprit de la forêt, ou de tel arbre en particulier, qui peut aussi être l'esprit d'un ancêtre. Ces esprits sont très nombreux. Aujourd'hui, ces croyances animistes peuvent exister chez une personne en même temps que la croyance au dieu unique. Cette personne va penser qu'il existe, à côté de Dieu, une quantité d'esprits, de puissances magiques, de forces de toutes sortes, de « petits » dieux multiples.

Le monothéisme a marqué l'histoire des religions de manière très importante, mais il n'a pas fait disparaître le polythéisme. D'ailleurs, on pourrait même dire qu'il y a toujours des formes de polythéisme qui reviennent. Même si l'on croit en un Dieu unique, on peut conserver une préférence pour des personnages saints, des lieux, des objets sacrés, etc. Cette préférence risque toujours de conduire à fabriquer une petite divinité particulière, ce qu'on appelle aussi une idole. Les idoles sont continûment combattues par les différents monothéismes.

– *Justement, ce qui m'étonne, c'est qu'il y a plusieurs monothéismes ! S'ils croient tous en un seul Dieu, comment est-ce possible ?*

– Voilà un vrai problème ! Au départ du monothéisme, il n'y a eu que la religion juive. C'est elle qui a affirmé la première l'existence du Dieu unique. De ce point de vue, le christianisme et l'islam sont des religions « filles » de la religion juive. D'ailleurs, les chrétiens considèrent la Bible comme la parole de Dieu, et les musulmans considèrent qu'ils sont, comme les juifs, descendants d'Abraham.

– *Alors, qu'est-ce qui les sépare ?*

– Suivons l'ordre du temps. Jésus-Christ était un homme juif. Il a vécu en Palestine, à peu près à l'époque de Jules César et des débuts de l'Empire romain. Et il proclame : « Je suis le fils de Dieu. » C'est une étrange phrase. Pourquoi Dieu, s'il a créé les hommes et l'univers entier, aurait-il un fils qui deviendrait homme ? Voilà la nouveauté du christianisme : Dieu, infini, éternel, s'incarne dans un être humain, à la fois complètement humain et complètement divin. D'après ce qu'il dit lui-même, le Christ ne vient pas supprimer la religion juive, la Loi, les dix commandements et les règles religieuses.

– *Alors, là, c'est bizarre. Si le Christ est juif, comment peut-il être en même temps...*

– ... « chrétien » ? Les débuts du **christianisme** ne se distinguent pas tout de suite du judaïsme. Les premiers chrétiens sont des juifs, en grande partie. Ils ont les mêmes croyances, les mêmes textes. La séparation va se faire progressivement.

– *Comment ?*

– Ce que Jésus apporte de plus important, c'est l'idée d'une religion de l'amour. Ce qui définit Dieu, ce n'est plus seulement d'être unique, éternel, infini. Pour les chrétiens, la Loi que Dieu transmet aux êtres humains n'est pas une règle imposée, définissant des actions interdites et des actions permises selon la volonté de Dieu. La seule loi, c'est l'amour, sans calcul et sans limites. C'est pourquoi, dans le christianisme, l'essentiel est la charité, l'amour du prochain, le fait de tout faire pour les plus pauvres, les plus faibles, les plus démunis. C'est aussi le fait de pardonner aux coupables, de ne pas être animé par le désir de punition et de vengeance : même les gens les plus méchants, les plus cruels peuvent regretter ce qu'ils ont fait.

« Aimez-vous les uns les autres », c'est le message essentiel du Christ. Cet amour est très exigeant, parce qu'il n'a rien à voir avec le mérite, les qualités ou la beauté physique. Il s'agit d'aimer tout le monde, d'abord les pauvres, les malades, les infirmes, mais aussi les voleurs, les injustes, la racaille. Et de les aimer chacun sans limites.

– *Mais comment est-ce possible ?*

– C'est très difficile, évidemment. Mais cet amour incroyable est à la mesure de celui de Dieu lui-même. Que Dieu se fasse homme, c'est le signe, pour les chrétiens, d'un amour infini. Tu connais les grandes lignes de l'histoire de Jésus : il naît dans une étable, comme le plus pauvre des pauvres, il grandit avec son père Joseph, charpentier, il prêche l'amour, le pardon. Finalement, il est trahi par un de ses disciples, puis condamné à mort par les Romains. Humilié, traité de manière injuste, supplicié, il meurt d'une mort horrible, sur le Golgotha, une colline de Jérusalem, cloué sur une croix de bois, en demandant à Dieu, son Père, pourquoi celui-ci l'a abandonné.

– *Oui, mais après, il ressuscite.*

– C'est en tout cas ce que croient les chrétiens. L'important est de saisir le sens de cette humiliation et de cette mort. Comment Dieu, tout-puissant, glorieux, peut-il accepter de tout subir, d'être trahi, injurié, battu, tué ? C'est l'image d'un amour sans limites qui donne toute sa vie, qui se sacrifie entièrement pour que finalement les hommes vivent libres, sauvés.

– *Il aurait sauvé le monde comme ça ?*

– Sauver le monde veut dire que, en devenant homme et en acceptant de mourir pour les hommes, il les a délivrés.

– *Mais de quoi ?*

– De la mort.

– *En mourant, il les a sauvés de la mort ?*

– Oui. Là encore, c'est difficile à comprendre. On pourrait dire que le Christ est venu mourir pour payer les fautes des hommes. Avec le christianisme apparaît cette idée que Dieu devient homme et meurt pour les hommes. Le christianisme ne croit pas seulement, comme la religion juive, que Dieu a créé le monde et inspiré les prophètes de la Bible, mais aussi que Dieu, par le Christ, s'est fait homme pour sauver le monde.

C'est ainsi que se sont séparés juifs et chrétiens. Les juifs ne croient pas que le Christ est le fils de Dieu. Ils pensent que le Christ est un grand sage, un prophète, mais à leurs yeux il n'est pas Dieu incarné, c'est-à-dire « devenu chair ».

– *J'aimerais savoir la différence entre catholiques et protestants.*

– Les uns et les autres sont des chrétiens. Catholiques et protestants croient que le Christ est le Fils de Dieu devenu homme, qu'il est mort sur la croix et ressuscité. Ceux d'entre eux qui pratiquent se rassemblent le dimanche – les catholiques à l'église, les protestants au temple – pour partager du pain et du vin. Même s'ils ne donnent pas le même sens à cette communion, ils se réfèrent aux mêmes paroles du Christ, qui a demandé de faire cela en mémoire de lui et qui affirmait que le pain était son corps et que le vin était son sang.

– *Alors c'est quoi, la différence ?*

– Le protestantisme est apparu seulement à la Renaissance, au XVe et au XVIe siècle. C'est récent, dans la longue histoire du christianisme. Le Christ naît à l'année zéro, forcément, puisque dans notre système de calcul des années on a choisi de compter à partir de sa naissance. Après la disparition du Christ, l'Église s'est progressivement organisée. L'ensemble des prêtres, des évêques, des moines s'est constitué dans chaque région. Il fallait relier entre eux ces différents groupes, contrôler les cérémonies, préciser les croyances. Les chrétiens, au cours des premiers siècles, sont devenus de plus en plus nombreux dans l'Empire romain. Ils ont été pourchassés, persécutés, beaucoup ont été martyrisés.

Finalement, le christianisme a pris le dessus. En 312 après Jésus-Christ, l'empereur Constantin a fait du christianisme la religion officielle de l'Empire. A partir de ce moment-là, malgré des hauts et des bas, on peut dire que l'Église catholique n'a pas cessé de se développer. Quand l'Empire romain s'effondre et que le Moyen Âge commence, avec les invasions des Barbares, l'Église exerce un pouvoir de plus en plus important. Elle commande en partie aux seigneurs eux-mêmes.

– *De quelle manière ?*

– Elle peut les excommunier, c'est-à-dire les mettre en dehors de l'Église, leur refuser la possibilité de venir à la messe ou de communier. Si un seigneur ou même un empereur a mal agi aux yeux de l'Église, elle a le pouvoir de le mettre en dehors de la société. En effet, au Moyen Âge, les gens ne vivent pas du tout dans une société laïque ! Le roi est catholique, en France comme dans les autres pays d'Europe, et on n'a pas le droit de croire autre chose. Sinon, on peut être brûlé par les tribunaux de l'Église.

Ainsi, progressivement, le christianisme s'est mêlé aux affaires politiques. Cette religion d'amour, de confiance, de charité, de délivrance est devenue aussi un pouvoir central dans la société. L'Église catholique a accumulé des richesses, des terres, des propriétés immenses, énormément d'argent. Certains évêques, à la Renaissance, sont devenus extrêmement riches. Eux qui devaient être pauvres, qui devaient être au service de tout le monde sont devenus des seigneurs et vivent de manière luxueuse. D'autre part, ils organisent toutes sortes de trafics. Au lieu de pardonner au nom de Dieu, ils se mettent à vendre le pardon. Les fidèles doivent donner de l'argent pour aller plus vite au Paradis !

– *Et personne ne protestait ?*

– Si. Les protestants, justement ! Ces trafics ont terriblement irrité et fâché un certain nombre de chrétiens – qu'on a appelés « protestants » parce qu'ils ont protesté pour avoir le droit d'affirmer leur foi et de ne pas se soumettre à l'Église catholique. Ils trouvaient qu'elle n'était plus conforme à l'esprit du Christ. Ces protestants ont commencé à refuser d'obéir au pape. L'un des fondateurs du protestantisme était le moine allemand Martin Luther, qui vivait au XVIe siècle. C'était le début de la Réforme. Il y eut aussi Jean Calvin, et d'autres. Ils ont soutenu que, pour être chrétien, on n'avait pas besoin de pape, ni d'évêque, ni de toute la hiérarchie de l'Église catholique, mais seulement des paroles du Christ. L'essentiel est ce que le Christ a dit, les paroles rapportées dans ce qu'on appelle les Évangiles, c'est-à-dire les quatre récits de la vie du Christ par Matthieu, Marc, Luc et Jean.

– *Donc, les protestants ont voulu revenir à ce que le Christ a dit…*

– Tout à fait. Le protestantisme a voulu revenir à la source du christianisme. Trop de gens, aux yeux des protestants, étaient devenus des chrétiens « en surface » ou « en apparence ». Ils faisaient les gestes, disaient les prières, mais ils n'étaient pas vraiment chrétiens dans leur cœur. Il fallait donc changer cette situation, la refaire, la réformer.

C'est pourquoi les Églises protestantes s'appellent aussi « Églises issues de la Réforme ».

Les principales affirmations du protestantisme peuvent se résumer ainsi :

• Dieu aime les humains, même s'ils ne le méritent pas. L'Évangile est une bonne nouvelle.

• Ce qui est important, c'est d'avoir la foi, de faire confiance à Dieu.

• Un être humain est seul avec Dieu et avec sa conscience. Pas besoin de pape, pas besoin d'une autorité de l'Église avec un catéchisme obligatoire.

• Ce qui compte, ce sont les commandements de Dieu. La seule autorité, c'est la Bible.

– *Et les musulmans, ils croient à quoi ?*

– Eux aussi croient au Dieu unique, éternel et tout-puissant. Le plus important, pour les musulmans, est de se soumettre à Dieu, de s'abandonner à sa volonté. « Islam » veut dire soumission, et « musulman » signifie « soumis ». En tout cas, c'est ce qu'on dit généralement. En fait, ces deux mots viennent d'une même racine qui en arabe signifie plutôt « faire sa paix ». Les musulmans, mot à mot, sont donc ceux qui « se mettent en paix » avec Dieu.

– *Et leur livre, c'est aussi la Bible ?*

– Non, c'est le Coran. Dans les versets du Coran, on trouve de nombreuses allusions à des épisodes de la Bible, mais c'est un livre tout différent. Le Coran est le livre du prophète Mohammed, que l'on appelait autrefois Mahomet en français. Il est né en 570 de l'ère chrétienne et mort en 632. C'est le dernier des grands prophètes, et l'islam est la plus récente des grandes religions du monde. Mohammed, avant de devenir prophète, était un simple marchand. Il habitait La Mecque et menait une vie tranquille. Et puis, vers ses quarante ans, son comportement changea totalement. Il cessa de manger, se mit à errer. Il eut toute une série de visions, dans une grotte située dans la montagne au-dessus de La Mecque.

Ces événements l'ont convaincu que Dieu lui-même parlait aux hommes par son intermédiaire. L'ensemble de ces paroles révélées à Mohammed a été écrit et rassemblé dans le Coran, c'est-à-dire « la lecture ». Pour les musulmans, Dieu s'exprime dans ce livre et donne ses instructions. Le prophète Mohammed n'est donc pas un être divin, mais il transmet les paroles de Dieu. « Je ne suis qu'un être humain chargé d'un message », dit-il.

– *Quel est ce message ?*

– C'est d'abord et avant tout une affirmation intense et exigeante du monothéisme. Dieu est unique. Et rien ne l'égale. Rien ne lui est associé, rien ne lui est comparable. Il est supérieur à tout, absolument au-dessus de toutes les réalités humaines et naturelles. Ce qu'on appelle la « profession de foi » de l'islam, ce qu'il faut croire pour être musulman, le dit clairement : « J'atteste qu'il n'y a de dieu que Dieu et j'atteste que Mohammed est envoyé de Dieu. »

– *Et le Christ ? Comment les musulmans le voient-ils ? Pour eux, ce n'est pas le fils de Dieu ?*

– Non, ce n'est pas le fils de Dieu. Jésus est un messager de Dieu, un envoyé, un prophète sage et très respectable. Mais ce n'est qu'un homme. L'idée que Dieu puisse avoir un fils et se faire homme est presque choquante aux yeux des musulmans, parce qu'elle ne respecte pas la grandeur de Dieu. Et surtout cette idée est contraire au fait que Dieu est unique. « Il n'y a de dieu que Dieu », cela veut dire aussi que Dieu n'a pas de fils. Encore une fois, l'islam veut d'abord rappeler avec vigueur le monothéisme. Ce n'est pas la première fois que l'existence du Dieu unique est proclamée ! Mais ce caractère unique et absolu de Dieu, les êtres humains risquent toujours de l'oublier. Ils se mettent à nouveau à le perdre de vue, et il faut le réaffirmer, le redire continûment.

– *Et c'est tout ?*

– En un sens, ça pourrait suffire ! Mais une religion ne pourrait pas se construire sur cette seule affirmation. La profession de foi dont nous venons de parler est le premier des « cinq piliers » de l'islam. Le deuxième, c'est la prière. A cinq moments précis de la journée, les musulmans doivent réciter des prières en se tournant vers La Mecque. Ainsi, ils ne risquent pas d'oublier Dieu longtemps. Leur religion marque les étapes de la journée, presque en permanence. Car il ne s'agit pas simplement de réciter les mots et de faire les gestes mécaniquement ! « Malheur à ceux qui prient alors qu'ils sont absents de leur prière », dit le Coran.

– *C'est toute la vie, alors, qui est dans la religion !*

– Effectivement. Pour les musulmans pratiquants, il n'existe pas de frontière séparant nettement la vie religieuse d'un côté et la vie quotidienne d'un autre côté. Ainsi, le troisième pilier, c'est l'aumône. Le musulman doit donner aux pauvres une part de ce qu'il possède. Mais l'important, c'est qu'il le fasse sans espoir de récompense et sans mécontentement comme sans fierté. Les deux derniers « piliers de l'islam » sont le Ramadan, le mois du jeûne, pendant lequel les musulmans ne doivent ni manger ni boire du lever au coucher du soleil, et le pèlerinage à La Mecque, la ville sainte, que chaque musulman doit faire au moins une fois au cours de son existence.

– *Ce ne sont que des choses à faire !*

– En apparence seulement. Il serait faux de croire que l'islam est une religion seulement constituée d'une série de « choses à faire ». L'attitude intérieure est essentielle. Tu viens de le voir à propos de l'aumône. Mais on peut en dire autant du Ramadan ou du pèlerinage à La Mecque. Ce ne sont pas les gestes qui comptent, mais ce que ces gestes accompagnent comme attitude dans l'esprit, qui est aussi une manière de « faire sa paix ». Cette attitude, en arabe, se nomme *ihsân*, le « bel agir », la façon de faire bien, qui trouve sa récompense à l'intérieur d'elle-même.

– *Aujourd'hui, combien de personnes croient à chacune de ces religions ?*

– Il faut se méfier des chiffres. En effet, que va-t-on compter ? Les gens qui pratiquent intensément une religion ? Ceux qui pratiquent un peu ? Ceux qui se disent croyants mais ne pratiquent pas du tout ? Ceux qui vivent dans un pays où la civilisation est imprégnée de telle ou telle religion ? C'est un casse-tête ! Ça change tout le temps. Et ce n'est pas vraiment intéressant, à mon avis. Parce que ces chiffres risquent de servir à de curieuses compétitions. On va se demander qui sont les plus nombreux, qui « gagne » ou qui « perd ». Ce n'est pas le bon point de vue.

En tout cas, les religions monothéistes, qu'on appelle également « religions du Livre », sont très largement majoritaires.

– *Il y a encore d'autres religions du Livre ?*

– Non. Ce sont les trois grandes : judaïsme, christianisme, islam. D'autres religions vénèrent un livre. Par exemple, en Inde, les sikhs se réfèrent à un livre sacré. Au Japon, les bouddhistes du groupe fondé au Moyen Âge par le moine bouddhiste Nishiren considèrent que *Le Soutra du Lotus* contient l'essentiel de ce qu'il faut comprendre pour atteindre la délivrance. Il y a bien d'autres cas où un livre forme le point de départ d'une religion. Mais les spécialistes des religions n'ont pas l'habitude d'utiliser l'expression « religion du Livre » pour ces différents cas. Ils la réservent pour nommer le judaïsme, le christianisme et l'islam.

3

Qui croit quoi ?

Du côté de l'Asie : hindouisme, bouddhisme

– *Les religions du Livre sont les seules qui ont des textes que l'on croit venus de Dieu ?*

– Il n'est pas commode de répondre simplement à cette question, parce qu'on va rencontrer un cas particulier. En Inde, à la base de la religion que les Européens ont nommé « hindouisme », il y a des textes sacrés. Les *Vedas* – le terme signifie à peu près « les savoirs » ou « les connaissances » en sanskrit, la langue sacrée de l'Inde – sont en effet des textes très anciens. Or ils sont considérés en Inde comme des textes « révélés ». Aux yeux des hindous, ce ne sont donc pas des textes inventés par des auteurs humains. Les *Vedas* auraient été « entendus » par les premiers sages de l'Inde.

– *Et qui parlait ? Je parie que c'était Dieu !*

– Eh bien… tu n'as pas réellement gagné ! Évidemment, tu as pensé : « Si ces textes ne sont pas d'origine humaine, ils sont d'origine divine. » C'est logique. Et ce n'est pas faux : il y a bien quelque chose de divin, de surhumain, de surnaturel dans la source des *Vedas*.

– *Donc, c'est Dieu ! Je n'ai pas tort !*

– Mais tu n'as pas raison non plus. Parce que rien

ne correspond vraiment, dans l'hindouisme, à l'idée du Dieu unique et éternel des religions du Livre. Dieu n'est pas là.

– *Il y a plusieurs dieux, dans l'hindouisme ?*

– Oui et non…

– *C'est de moins en moins clair ! Tu peux m'expliquer ?*

– Oui, il y a plusieurs dieux. Chacun d'eux a sa légende et possède des qualités différentes. Les dieux de l'Inde traversent des aventures extraordinaires et se battent contre des monstres fabuleux. Parfois, ils changent de forme. Ils ont toujours des pouvoirs extraordinaires et souvent des armes inouïes.

Malgré tout, on peut dire que ces divers dieux ne sont que des visages différents du grand Être divin – qui est unique ! Donc, ce ne sont pas des dieux réellement séparés les uns des autres. Du point de vue des hindous, ce sont plutôt comme des masques, des apparences de surface. Derrière ces masques, sous ces apparences, il y a « quelque chose » d'unique, l'Absolu.

– *Donc, il y a plusieurs dieux qui sont comme des personnages, mais il y a un seul acteur qui joue tous les rôles. Lui, c'est Dieu !*

– C'est assez bien vu… Pourtant, ça n'est pas encore suffisant ! Parce que l'Absolu, dans l'hindouisme, ne ressemble pas à ce qu'on appelle « Dieu » dans la Bible ou dans le Coran. L'Absolu n'a pas créé le monde. Il ne juge pas les âmes pour les envoyer au Paradis ou en Enfer. D'ailleurs, dans l'hindouisme, il n'y a ni paradis ni enfer. Et le monde lui-même, l'univers tout entier, dans le fond, n'est qu'une grande illusion !

– *Qu'est-ce que ça veut dire ? Pourtant nous sommes réels !*

– Ce n'est pas terriblement compliqué, mais c'est très différent de nos habitudes de pensée. C'est pourquoi il ne faut pas chercher à regarder les religions de l'Inde avec nos lunettes d'Européens. Quand nous parlons de « Dieu », de « religion », de « salut » ou de « délivrance », nous avons en tête des idées qui ne vont pas bien convenir à l'Inde. Commençons par l'idée de Dieu. Pour les juifs, les chrétiens, les musulmans, Dieu est un esprit éternel. Il a créé le monde, et ce monde matériel est extérieur à lui. Il a également créé les humains. Il leur a fait connaître sa volonté, en indiquant des règles de conduite à suivre. Et Dieu a donné aux humains la capacité de choisir. Ils peuvent suivre ses commandements ou ne pas les suivre. Ils peuvent se conduire bien ou mal, être justes ou injustes. Voilà, en très gros, une série de croyances communes aux religions du Livre. On peut dire que Dieu et le monde sont séparés. En tout cas, ils sont distincts.

– Et pour l'hindouisme, ce n'est pas comme ça ?

– C'est assez différent. D'abord, le monde n'a pas été créé une fois, mais il est créé, puis détruit, puis recréé… une multitude de fois. Il faut imaginer un être immense qui s'éveille et puis qui s'endort. Évidemment, chaque « jour » ou chaque « nuit » peut durer des milliards d'années. L'important, c'est que les apparitions et les disparitions de l'univers se succèdent.

– Pourquoi est-ce important ?

– Pour comprendre une première différence avec la façon de voir des religions monothéistes. La conception du temps n'est pas la même. Pour le judaïsme, le christianisme et l'islam, le temps est comme une ligne droite. Cette ligne commence à la création du monde. Elle se prolonge jusqu'à « la fin des temps », le Jugement dernier, c'est-à-dire le moment où le monde cessera d'exister. Pour l'hindouisme, le temps serait plutôt comme un cercle. L'univers naît, grandit, puis se désorganise et finit par disparaître, avant de renaître, et de regrandir, puis de se désorganiser et de disparaître à nouveau… et ainsi de suite. Sans arrêt, sans un début ni une fin qui existerait « une fois pour toutes ».

– Alors, il n'y a pas vraiment un seul monde, il y a une suite de mondes !

– Oui, exactement : une suite de mondes qui se ressemblent. Ces mondes très nombreux passent tous par des états semblables. Pour l'hindouisme, l'histoire de l'univers, et celle de l'humanité, n'a pas lieu une seule fois. Cette histoire se répète. Elle repasse par les mêmes étapes. Comme une roue qui tourne.

– Je comprends cette façon d'imaginer le temps. Mais ça ne change pas Dieu !

– Tu as raison, on pourrait imaginer que Dieu est le même. Il recommencerait plusieurs fois la création qui, chaque fois, se détraquerait. Ce serait un peu bizarre, mais ça pourrait s'imaginer. Pourtant, ce n'est pas comme ça dans la pensée hindoue. L'idée centrale est que le monde est une sorte de rêve de Dieu.

– Mais un rêve, c'est dans la personne ! C'est dans sa tête, c'est pas réel !

– Bien sûr. Mais essaie d'imaginer, comme un jeu, que toi et moi sommes les personnages d'un rêve. Nous, et la table, les chaises, la maison, tout ce qui est autour de nous existe seulement dans le rêve d'un esprit immense. Qu'est-ce que tu dirais de ça ?

– Il faut d'abord espérer que l'esprit qui fait ce rêve ne va pas se réveiller ! On disparaîtrait !

– D'accord. Espérons donc ! Mais réfléchissons ensemble à cette idée. Évidemment, elle peut paraître très folle et très étrange. Continuons malgré tout. Si le monde était un rêve fait par un grand esprit, alors tout existerait seulement à l'intérieur de ce rêve, d'accord ?

– *Oui, même la pauvreté et les guerres.*

– Tout serait dans le grand esprit ! Y compris nous ! Et si le grand esprit, c'est Dieu, quelle est ta conclusion ?

– *Eh bien… nous sommes en Dieu ! Et pourtant nous ne sommes pas lui !*

– Continuons encore, et le paysage va changer. Oublions un moment cette histoire d'un rêve de Dieu. Dans les religions dont nous avons parlé jusqu'à présent, ce qui domine, finalement, ce sont les idées de « séparation » et de « liaison ». Dieu et le monde sont séparés. Dieu est esprit, le monde est matière. L'homme est entre les deux, il est à la fois esprit et matière, âme et corps. Et c'est pourquoi il existe des religions afin de surmonter cette séparation, de relier les humains et Dieu. De la même manière, les êtres humains sont séparés les uns des autres, au sens où ce sont des individus indépendants. Et ces personnes différentes doivent inventer des manières de se relier les unes aux autres : l'amour, l'amitié, la solidarité.

Dans l'hindouisme, l'éclairage est différent. On va au contraire affirmer qu'il n'y a pas de séparation. Au lieu de partir d'une situation où chaque personne, chaque chose est séparée des autres, et de construire un pont pour relier toutes ces personnes entre elles, on va montrer que ces séparations sont des illusions, des mirages.

– *Mais pourquoi toujours cette idée de rêve ? Nous sommes bien réels !*

– Dans un texte célèbre de l'Inde, il y a une scène où un maître demande à son disciple de regarder un arbre au loin. Et le maître dit au disciple qui regarde l'arbre : « Tu es cela. » Puis il lui demande de regarder une abeille et lui dit de nouveau : « Tu es cela. » Et ainsi de suite, plusieurs fois. Cette formule, « Tu es cela », cette « grande parole », comme on dit en Inde, signifie qu'il n'y a pas de séparation, pas de différence fondamentale entre les êtres, les choses, les animaux.

– Mais je ne suis pas toi ! Et toi, tu n'es pas une abeille ! Et moi, je ne suis pas un arbre ! C'est quoi, ces histoires ?

– C'est seulement une manière de faire penser que ces séparations pourraient bien n'être que des apparences. Évidemment, tu es toi et je suis moi, les abeilles sont des abeilles et les arbres sont des arbres. Mais pour l'hindouisme, il se pourrait que tout cela soit Dieu, ou l'Absolu. Dans ce cas, les différences, les séparations, les distances ne sont pas supprimées d'un seul coup. Mais elles apparaissent comme des reflets sur l'eau, pas comme des réalités dures.

– Tout ce qui existe, dans le monde entier, ça a l'air composé de tas de choses, mais ça ne fait qu'une seule chose ?

– Oui, c'est ça ! Et cette « chose », c'est l'Absolu. On peut aussi dire Dieu, mais à condition de bien voir que cette idée de Dieu est différente de celle des juifs, des chrétiens et des musulmans. Ce n'est pas un Dieu différent du monde.

– Et nous, pour l'hindouisme, nous ne sommes pas différents de Dieu ?

– Mais non ! Pour l'hindouisme, nous devons parvenir à comprendre que nous sommes nous-mêmes Dieu. Nous avons tort de nous imaginer que nous sommes des individus séparés. Dès que nous prenons vraiment conscience que notre propre esprit est lié à tout l'univers, nous sortons des limites de notre moi.

– *Mais on ne peut pas s'envoler de son corps ! Je ne comprends pas ce que cela veut dire.*

– Alors essayons autrement. Imagine des gouttes d'eau. Bien rondes, bien séparées, comme tu en vois dans le lavabo ou dans l'évier quand il y a des éclaboussures. De petites gouttes toutes seules les unes à côté des autres. Imagine que chaque goutte soit un être humain, une personne comme toi et moi. Tu peux voir la vie de ces gouttes de différentes façons. Si on imaginait pour ces gouttes une vie éternelle, par exemple, elles pourraient rester tout le temps des gouttes individuelles, comme des âmes qui auraient chacune un nom. Mais on peut aussi penser qu'on passe un jet d'eau sur les gouttes et qu'elles rejoignent l'océan. Quand une goutte d'eau est dans l'océan, a-t-elle disparu ?

– *Non, évidemment !*

– Ce n'est pas si évident. Elle a bien disparu comme goutte séparée, parce qu'elle a rejoint toute l'eau. On pourrait même dire que la goutte est devenue immense. Elle est devenue tout l'océan. En tout cas, il n'y a pas de barrière, de division, de séparation.

– *Et alors ?*

– Eh bien, si nous étions des gouttes d'eau, nous pourrions vouloir rester éternellement bien rondes, individuelles. Ça ressemble à l'idée de vie éternelle des âmes : elles vivent pour l'éternité de manière personnalisée. Au contraire, si nous voulions rejoindre l'océan et nous fondre pour toujours dans l'immensité, ça ressemblerait à ce que veulent les hindous.

– *Veulent-ils la vie éternelle ?*

– Pas comme les chrétiens et les musulmans, en tout cas. Parce que la conception de la vie est elle aussi différente. Pour les chrétiens et les musulmans, quand une personne est née, en un certain sens elle ne mourra plus. Son corps va cesser de vivre, mais son âme personnelle (sa goutte d'eau bien ronde) va vivre éternellement. Cette vie éternelle peut être un bonheur immense. L'idée de vivre sans fin dans la récompense de Dieu constitue, pour les chrétiens et les musulmans, le principal moyen de supporter la dureté de l'existence.

Au contraire, pour la civilisation de l'Inde, l'idée d'une vie éternelle est décourageante. Parce que l'Inde considère qu'il ne peut pas y avoir de vie sans souffrance. Même si l'existence d'une personne est pleine de bonheur, elle aura des moments de tristesse. Et surtout, puisque le temps est pour eux comme une roue, les hommes de l'Inde ont pensé que nos vies se succédaient, un peu comme les différents points d'un cercle.

– *On renaît combien de fois ?*

– Disons... mille et une ! Chacune de tes vies, pour les hindous, dépend de ce que tu as fait dans la précédente. Si tu as bien agi, tu renaîtras plus heureuse, dans une vie meilleure. Si tu as mal agi, tu renaîtras pauvre ou malade ou dans la peau d'un animal repoussant. La succession des vies passe par des hauts et des bas. Mais il n'y a pas de fin à ce cycle tant qu'on renaît. Et il y a toujours plus ou moins de souffrance. C'est pourquoi l'idée de « vie éternelle » paraît terrible en Inde !

– *Où est la sortie de secours ?*

– C'est d'échapper à la vie !

– *Mourir ?*

– Non. Ne plus renaître ! Ce n'est pas la même chose. Les « délivrés » ne renaissent pas. Ils se sont détachés du cycle des morts et des renaissances.

Comme s'ils étaient parvenus à sortir du cercle du temps.

– *Alors, où sont-ils ?*

– On ne sait pas, parce que c'est impossible à penser. Quand une goutte d'eau est dans l'océan, où est-elle ?

– *Et comment on se délivre ?*

– En cessant de désirer, de s'attacher aux choses illusoires, en comprenant comment nous ne sommes pas séparés de l'Absolu.

– *Chez les bouddhistes, c'est pareil ?*

– Sur ce point, oui, les idées des bouddhistes et celles des hindouistes se ressemblent. Elles ne sont pas exactement semblables, mais il y a un air de famille.

– *Alors, quelles sont les différences ?*

– Le bouddhisme est plutôt une sagesse, qui est ensuite devenue une religion. Je vais essayer de t'expliquer ça. Une sagesse n'est pas forcément une chose triste ! Pour les enfants, « sois sage » signifie « tiens-toi tranquille, ne fais pas ce que tu veux ». Ce n'est pas attirant ! Ce mot, pour les bouddhistes, signifie plutôt une façon de comprendre le monde qui permet de changer ses désirs, et de changer sa vie. L'idée de sagesse ne contient pas l'idée d'un monde divin ni celle d'une parole de Dieu révélée aux hommes. C'est pourquoi une sagesse n'est pas la même chose qu'une religion.

Dire que le bouddhisme est une sagesse qui est devenue religion, qu'est-ce que cela veut dire ? Le Bouddha n'a jamais prétendu être un dieu. Il n'a jamais dit non plus qu'il était un messager ou un envoyé de Dieu. Voilà une première différence par rapport aux religions du Livre. Moïse reçoit de Dieu les dix commandements ; le Christ se dit Fils de Dieu ;

Mohammed, le prophète de l'islam, est le messager de Dieu ; les *Vedas*, pour les hindous, n'ont pas été composés par des êtres humains. Le Bouddha, lui, est un homme, rien qu'un homme, et il ne prétend pas transmettre une parole révélée. Il expose une méthode pour cesser de souffrir, et il dit à peu près : « Ne me croyez pas sur parole ! Essayez vous-même ! »

– *Il vivait à quelle époque ?*

– On sait qu'il a vécu au ve siècle avant Jésus-Christ, à peu près en même temps que le philosophe grec Socrate. Gautama (c'est plus tard seulement qu'il a reçu le surnom de « Bouddha », qui veut dire « l'Éveillé ») vivait en Inde, sur le bord du Gange. La légende veut qu'il ait été le fils d'un roi. Celui-ci possédait un petit royaume et protégeait beaucoup le jeune prince. Le roi voulait élever son fils, dit cette légende, sans qu'il connaisse les souffrances du monde. Le jeune prince vivait donc dans le confort, le luxe, la musique, les beaux vêtements, les parfums, mais n'avait pas l'autorisation de sortir du palais. Or un jour, le Bouddha, jeune guerrier très beau et bien exercé, décide de sortir malgré tout du palais…

– *Malgré l'interdiction de son père ?*

– Oui, et il fait trois rencontres, qui lui permettent de découvrir ce qu'on lui avait caché jusque-là : la maladie, la vieillesse, la mort. Il apprend qu'elles sont inévitables. Il découvre donc la douleur de l'existence humaine. Cela lui donne l'envie de trouver un moyen d'échapper à cette souffrance. L'idée centrale du bouddhisme, c'est de mettre un terme à la souffrance. Comment ne plus souffrir ? Voilà le point de départ. Comme on ne peut supprimer ni la maladie, ni la vieillesse, ni la mort, il faut trouver un moyen pour que ces réalités cessent de nous faire souffrir.

Alors, le prince Gautama s'en va du palais de son

père. Il quitte son épouse, car il était marié, et son jeune fils, car il avait un enfant encore tout petit. Il décide de ne plus être un guerrier. Il se coupe les cheveux, laisse son cheval favori et devient un ermite, c'est-à-dire un solitaire qui se livre à des méditations. Il vit auprès de sages qui lui font faire des sacrifices, le conduisent à ne presque plus manger. La légende dit qu'il ne mange plus qu'un grain de riz par jour. Mais il s'aperçoit que cette vie très dure n'est pas non plus la bonne solution. Ce n'est pas en se faisant mal qu'on échappe à la souffrance ! Donc, de même qu'il avait quitté le luxe du palais de son père, Gautama quitte aussi les maîtres qui lui font faire des régimes excessifs. Il veut essayer de trouver le bon chemin par lui-même.

Tu vois que c'est très différent des religions révélées. Il n'y a pas de dieu, pas de volonté divine, pas de parole divine. Un homme, tout seul, essaie de trouver par la méditation comment fonctionne le monde et par quel chemin échapper à la souffrance. Il s'assied sous un arbre et décide de n'en plus bouger jusqu'à ce qu'il ait trouvé la solution. C'est alors qu'il connaît l'Éveil. Il devient l'Éveillé, le « Bouddha ». Il comprend d'où vient la souffrance et comment la faire cesser.

– *C'est une idée magique !*

– Oui, tu as raison. Cela peut ressembler à de la magie, puisque, tout d'un coup, il comprend tout, il voit la façon dont le monde entier s'organise. Grâce à cette compréhension, il peut trouver un chemin pour échapper à la souffrance.

– *Lequel ?*

– Si nous souffrons, c'est parce que nous désirons des choses qui sont toutes sans durée. Nous désirons être jeune, et la jeunesse ne dure pas. Rester beau, et la beauté passe. Vivre, et nous mourons. Nous nous attachons donc à des apparences passagères et nous souffrons parce qu'elles disparaissent. Si nous arrivons à défaire notre attachement, à prendre une distance, alors nous ne souffrirons plus. Le moyen de se détacher – car il ne suffit pas de le décider ! –, c'est une certaine façon de se conduire, que le Bouddha appelle « juste », dans le rapport avec les autres, dans le rapport avec soi-même. On retrouve l'idée d'un chemin au milieu : ne pas être trop tendu ni trop relâché. Comme la corde d'un violon : trop tendue, elle casse ; trop relâchée, elle ne fait plus de musique. Ainsi, dans notre rapport aux choses, aux gens, à nous-mêmes, il faut suivre ce « chemin du milieu », qui passe entre l'attachement et le refus d'attachement.

– *Ça ne ressemble pas vraiment à une religion !*

– Pas encore, en effet. Ce que j'ai dit jusqu'à présent du bouddhisme évoque plutôt une conduite particulière dans la vie, une sagesse, presque une philosophie, mais pas réellement une religion. Il ne faudrait pas oublier un élément très important du bouddhisme, qu'on nomme la compassion. C'est une forme de pitié pour les autres, pour toutes les formes de vie qui souffrent. Soulager les plus pauvres, les plus faibles, ne pas profiter de sa force, ne pas agir d'une manière égoïste, faire passer les autres avant soi-même, être solidaire de toutes les formes de détresses, voilà les principales formes de la compassion. On trouve d'ailleurs la même tendance dans toutes les religions : partout le dévouement, la charité, l'entraide sont mis en valeur.

Dans le bouddhisme, cette compassion s'étend à toutes les formes de vie, animaux compris. Il existe par exemple un conte pour enfants où le Bouddha rencontre une lionne accompagnée de ses petits affamés. La lionne n'a plus de lait. Elle ne trouve rien à manger nulle part. Ses petits vont mourir. Alors le Bouddha, par compassion, se laisse manger par la lionne ! Bien sûr, ce n'est qu'un conte, mais il montre comment la compassion ne se limite pas aux êtres humains dans cette religion.

– *Alors, finalement, c'est une religion ?*

– Oui, mais il faut dire comment c'est arrivé. Au départ, quand le Bouddha a fondé sa communauté, celle-ci n'était pas véritablement religieuse au sens qui est habituel pour nous. Les moines avaient une règle de vie très stricte. Ils mendiaient leur nourriture, ne possédaient presque rien à part un vêtement et passaient l'essentiel de leur temps en méditation. Mais ils ne récitaient pas de prières. Ils ne participaient à aucune cérémonie. Ce sont pourtant des éléments importants pour pouvoir parler de religion ! En plus, au début, seuls les moines étaient considérés comme des bouddhistes. Les gens qui n'étaient pas moines demeuraient en quelque sorte en dehors. Ils pouvaient nourrir les moines, mais rien de plus !

Le changement est venu avec le temps. Des pères de famille, des paysans, des marchands sont devenus bouddhistes, dans toute l'Asie, à mesure que les groupes de moines devenaient plus nombreux et plus influents. Les gens ont commencé à faire des prières au Bouddha, pour leurs affaires, leurs récoltes, leur famille. Les monastères se sont agrandis. Ils se sont mis à posséder des terres. Ils ont parfois accumulé de grandes richesses. Les mendiants sont devenus de grands propriétaires ! Cette évolution ressemble par certains points à celle du christianisme dans l'Europe du Moyen Âge. Les moines bouddhistes se sont mis à organiser des cérémonies pour le peuple, des rituels, avec des prières, des chants, de l'encens, des offrandes de fleurs au Bouddha. Le bouddhisme s'est ainsi transformé de plus en plus en une religion. Il est arrivé que l'on considère le Bouddha comme un être surnaturel, divin.

– *Mais c'était seulement un homme !*

– Bien sûr, mais il est très fréquent, dans l'histoire des hommes, de transformer ainsi les situations. Dans tous les siècles et dans tous les pays, ceux qui subissent un malheur espèrent le voir s'arrêter. Guérir un enfant qui va mourir, éviter un accident qui menace, arrêter une guerre qui tue, voilà des espérances humaines. Souvent, la solution paraît au-dessus de nos forces. Alors, à qui demander de l'aide ? A qui demander que l'impossible devienne possible ? Les humains appellent au secours une force supérieure. Ils prient, ils supplient. Et si jamais l'enfant guérit, si l'accident est évité, si la guerre cesse, ils remercieront. Cela aussi, qu'on le veuille ou non, appartient au monde des religions.

En guise de conclusion

Plusieurs, une seule ou aucune ?

– *Tu penses qu'on a tout dit ?*

– Oh non ! Nous avons fait du chemin. Mais il y aurait beaucoup d'autres explications à donner. On pourrait reprendre notre parcours en ajoutant une foule de choses. A l'intérieur de chaque religion, il existe en effet des séries différentes de croyances. Elles forment comme des groupes ou des familles. Si on voulait expliquer davantage, il faudrait par exemple préciser les différences existant, dans le judaïsme, entre les sépharades, chassés d'Espagne en 1492, c'est-à-dire les juifs d'Afrique du Nord, et les ashkénazes, ceux d'Europe de l'Est. Dans le christianisme, il faudrait parler de l'Église orthodoxe, qui s'est séparée de l'Église catholique vers l'an 1000 et couvre aujourd'hui la Russie et plusieurs pays d'Europe de l'Est. Chez les protestants, on devrait distinguer entre les luthériens et les calvinistes, les baptistes, etc. Chez les musulmans, on pourrait expliquer la différence entre les sunnites et les chiites.

– *Donc, on n'a jamais fini !*

– Quand il s'agit de connaître, rien n'est jamais fini ! L'important, c'est de commencer à s'orienter. Chez les hindous, on pourrait dire encore comment se distinguent les vishnouistes, disciples du dieu Vishnou, et les shivaïtes, disciples de Shiva. Chez les bouddhistes, il serait utile de dire comment se sont opposés les partisans du « Petit Véhicule » et ceux du « Grand Véhicule », ces deux expressions désignant deux façons différentes de voir le chemin bouddhiste. Et puis, il faudrait parler de l'Afrique, expliquer les idées très subtiles que les religions africaines traditionnelles se font de l'âme humaine, de la mort, du corps et de la nature. On pourrait aussi aller au Japon, pour parler du culte des ancêtres et de la religion traditionnelle *shintô*. Et en Chine, pour savoir ce qu'on appelle le confucianisme, sagesse héritée de Confucius, et le taoïsme…

– *Pas si vite ! Reste zen ! (rire)*

– Le zen, justement, ce serait utile d'en parler, d'expliquer qu'il s'agit d'un mélange, qui s'est développé au Japon, entre le taoïsme, né en Chine, et le bouddhisme, né en Inde…

– *Arrête ! Tu feras une encyclopédie plus tard !*

– Et l'on y retrouvera les « mille » religions par où nous avons commencé. Et si l'on disait, au contraire, qu'il n'y en a qu'une ? Même si, en apparence, les religions sont nombreuses et très variées, il se pourrait qu'en réalité elles disent toutes la même chose. On peut imaginer que, « dans le fond », elles se ressemblent. Comme des chemins différents, mais qui partent tous du même lieu, ou bien qui mènent tous au même point d'arrivée. Cette idée n'est pas nouvelle. Elle a été développée assez souvent.

Il y a même une religion qui s'est développée à partir de cette idée ! La religion des Baha'is, qui est apparue il y a un peu plus d'un siècle, a aujourd'hui des adeptes dans plusieurs parties du monde. Cette religion affirme que toutes les religions se rassemblent autour d'un même idéal de justice, de fraternité et de respect des individus. Et que ce qui les rapproche est plus important et plus profond que ce qui les oppose. Malgré la diversité des cultures, des langues, des traditions, le message principal de toutes les religions, dans le fond, serait identique.

– *C'est sûr ! Mais le message, c'est quoi ?*

– Pour ma part, je ne suis pas certain que cette façon de voir soit exacte ! C'est une vue rassurante, évidemment. Tout le monde serait d'accord sur l'essentiel. Les disputes seraient des erreurs ou des exagérations. Malgré tout, il me semble qu'il existe entre les religions des oppositions qu'on ne peut pas gommer facilement. Les unes sont construites sur l'idée d'un Dieu créateur et juge, d'autres se passent de cette idée. Bien sûr, ces religions très différentes peuvent apprendre à s'estimer, à coexister, à vivre les unes avec les autres de manière tolérante et compréhensive. Mais elles ne peuvent pas se fondre pour former une seule grande religion mondiale.

– *Ce serait un mélange bizarre !*

– Une autre possibilité est de penser que toutes ces croyances différentes se complètent les unes les autres.

– *Comme les pièces d'un puzzle ?*

– Oui, c'est une bonne comparaison ! Imagine chaque pièce du puzzle. Elle a sa forme propre. Mais elle s'emboîte dans une autre. L'image que dessinent toutes les pièces ajustées ensemble est très différente de l'image donnée par chaque pièce prise séparément. Même si les religions ne se complètent pas d'une manière aussi précise que les pièces d'un puzzle, on peut imaginer que leur rapprochement fait voir leurs aspects complémentaires.

– *En tout cas, une vie sans religion du tout, à mon avis, ce n'est pas possible.*

– Ça dépend. Si tu parles de la vie d'une personne,

c'est possible. Il y a beaucoup d'êtres humains qui vivent sans croire à aucune religion, et même sans se soucier d'aucune question religieuse. Mais si tu parles de l'humanité tout entière, je suis d'accord avec toi. Il ne me paraît pas possible qu'elle vive sans religion du tout.

– *Pourquoi ?*

– Pour deux séries de raisons. La première concerne « l'intérieur de la tête ». Il y a toujours eu, et à mon avis il y aura toujours, chez les êtres humains, une attirance pour ce qui les dépasse. Dans notre esprit et dans notre cœur, nous avons un certain rapport avec l'infini. Nous le ressentons plus ou moins fort, mais nous n'en sommes jamais totalement privés. Au centre de toutes les religions, se trouve sans doute cette expérience de l'attirance pour l'infini. Nous la trouvons en nous-mêmes, indépendamment de tous les systèmes de croyance.

La seconde série de raisons est liée à « l'extérieur de la tête ». As-tu remarqué ? Partout, les cérémonies religieuses accompagnent toujours les grands moments de la vie : naissance, sortie de l'enfance, mariage, mort. Ce n'est pas un hasard, évidemment. Le groupe, la société, accompagne l'individu quand il arrive dans la vie, quand il transmet la vie, quand il quitte la vie.

Ces deux séries de raisons, à mon avis, ne peuvent pas disparaître. Il est possible que les religions changent, qu'elles prennent d'autres formes, mais elles continueront à exister. C'est évident !

– *Alors, être athée, ce n'est pas possible !*

– Bien sûr que si ! Attention de ne pas confondre « athée » et « agnostique ». Être agnostique (du grec *a*, « sans », et *gnosis*, « le savoir »), c'est ne pas avoir de religion, être sans opinion, ou encore penser que nous sommes incapables de savoir où est la vérité dans le domaine religieux. C'est une attitude qui s'est répandue de plus en plus dans le monde depuis deux cents ans.

Être athée, c'est différent. Le mot vient lui aussi du grec (*a*, « sans », et *théos*, « dieu »), mais il désigne une conviction très forte. Être athée, c'est croire que Dieu n'existe pas. Et c'est une forme de croyance ! Évidemment, c'est une croyance opposée à celle de plusieurs grandes religions. Mais ce n'est pas forcément une négation du sentiment de l'infini, ni un refus de toute cérémonie. Il arrive encore, assez souvent, que l'on présente l'athéisme comme une attitude égoïste, ou immorale, ou désespérée, ou tout cela à la fois ! Comme si les gens religieux étaient nécessairement généreux et charitables ! Et comme si les athées étaient nécessairement insensibles et sans cœur ! On peut penser que Dieu n'existe pas, et en même temps être charitable envers les autres, et solidaire des êtres humains en détresse. Et l'on peut être très religieux et en même temps très égoïste !

– *Moi, je pense que c'est impossible d'être athée, car on a tous une façon de penser qui nous rend croyants. A mon avis, quand les gens croient en Dieu ou en Bouddha, ils se représentent une image d'eux-mêmes parfaite, sans le vouloir et sans le savoir.*

– Finalement, dans les religions, comme partout dans les choses essentielles, il y a évidemment le meilleur et le pire. Le pire, ça peut être par exemple la bêtise, l'ignorance, l'étroitesse d'esprit, le refus de toute critique et de toute discussion, la certitude d'avoir raison et de détenir seul la vérité. C'est donc l'intolérance, le fanatisme, la superstition. Le meilleur, c'est la charité, la compassion, la solidarité, la tolérance, le respect des autres. C'est également la volonté de faire le bien, le sens de la justice, la conscience de la beauté de l'existence. Entre autres choses !

– Et on ne pourra jamais garder seulement le meilleur ?

– Peut-être bien, mais ce n'est pas facile. Parce que dans la vie des humains, généralement, l'un ne va pas sans l'autre. Mais ce sera bientôt à ceux qui ont aujourd'hui ton âge, et plus tard à ceux qui auront l'âge de tes enfants, de changer cette situation le plus possible. Et j'espère bien que vous y arriverez. J'espère que vous saurez enfin construire une terre où les gens de toutes religions et les gens sans religion apprendront à vivre ensemble : une terre de liberté.

Autrefois, les religions ne s'accordaient pas avec la liberté. Parce qu'on était né quelque part, il fallait adopter la religion de cet endroit. Choisir n'était pas possible. Il était exclu de changer de religion, interdit de n'en avoir aucune, dangereux de les combiner. A présent, il devient plus facile de comparer, de réfléchir, de s'informer sur les différentes religions, de chercher celle qui nous convient ou de choisir de vivre sans.

– Justement, je veux te demander une dernière chose : à ton avis, est-ce que je dois avoir une religion ?

– Personne ne le sait, sauf…

– *Sauf qui ?*

– Toi-même !

Remerciements

Nous remercions, pour les soutiens qu'à des titres divers elles ont apportés à la préparation de ce livre, les personnes suivantes, par ordre alphabétique :
Laura Atran-Fresco, Tatiana Atran-Fresco, Paul Audi, Janie Bénas et l'équipe de la paillotte de *Cala di Sole*, Tahar Ben Jelloun, Claude Cherki, Fabienne Droit-Galimard, Nadine Fresco, Gabrielle Gelber, Yvette Gogue, Jean-Claude Guillebaud, Roland Jaccard, Maurice Olender, Françoise Peyrot, François Rachline, Jean-Louis Schlegel.
Toutes nous ont aidé par leurs conseils, leur confiance, leur amitié ou leur affection.
Il va de soi que l'auteur du texte demeure seul responsable de son contenu et de sa forme finale.

M. D.-G. et R.-P. D.

RÉALISATION : PAO ÉDITIONS DU SEUIL
IMPRESSION : NORMANDIE ROTO S.A.S. - 61250 LONRAI
DÉPÔT LÉGAL : SEPTEMBRE 2000. N° 39209-8 (09-2510)

La Compagnie des contemporains.
Rencontres avec des penseurs d'aujourd'hui
2002

Dernières nouvelles des choses.
Une expérience philosophique
2003 ; « Poches Odile Jacob », 2005

Michel Foucault, entretiens
2004

Votre vie sera parfaite : gourous et charlatans
2005

Généalogie des barbares
2007

AUX ÉDITIONS FLAMMARION

Un si léger cauchemar
2007

Une brève histoire de la philosophie
2008

AUTRES ÉDITEURS

Chemins qui mènent ailleurs
Dialogues philosophiques
(avec Henri Atlan)
Stock, 2005

Vivre toujours plus ?
Le philosophe et le généticien
(avec Axel Kahn)
Bayard, 2008

Philosophies d'ailleurs
vol. 1 : Les pensées indiennes, chinoises et tibétaines
vol. 2 : Les pensées hébraïques, arabes, persanes et égyptiennes
(direction)
Hermann, 2009

Les Héros de la sagesse
Plon, 2009